Benjamin Renner

Un Bébé à livrer

shampooing

D1127640

Cette histoire est dédiée à Pauline et à sa famille.

Bonjour...

Est-ce que vous auriez l'amabilité de me décoincer?
S'il vous plaît?

Dis-moi, elles auraient pas un peu fermenté ces pommes?

BOMF!!

Non mais dites?!
Ça va pas bien de tomber
sur la tête des gens, comme ça?!

LE BÉBÉ!!!
OÙ EST LE BÉBÉ?!

RE-BOMF!!!

AAaaaah... Bébé!
La tête molle du monsieur
a amorti ta chute...

Mais! C'est un bébé humain?!

Bah oui! Je suis une cigogne!
Je dois apporter les bébés à leurs parents!
Qu'est-ce qu'il y a d'anormal à ça?!

Ne me dites pas que
vous ne savez pas comment
on fait les bébés?

Il me semblait que
ça faisait appel à un procédé
un peu plus technique...

OUAAÏÏE !!

Mon aile ! Mon aile !
Je me suis cassé l'aile !!

C'est affreux !! Je ne pourrai
jamais apporter ce bébé à ses parents !!
Il sera orphelin !
Triste !
Malheureux !
Intermittent...

À moins que...

AH NON NON!
PAS QUESTION!!

Moi, JE TOUCHE PAS À UN BÉBÉ!
C'EST MOCHE, ÇA PUE ET ÇA CRIE!

Mais pas celui-là !
Regardez comme il est mignon !

Si vous lui faites peur
avec votre gros nez aussi...

Écoutez, c'est absurde !
Si on prend ce bébé...

VOUS LE PRENEZ ?!

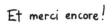

AH BRAVO!! QU'EST-CE QU'ON VA FAIRE DE ÇA MAINTENANT?!

EH!! DIS TOUT DE SUITE QUE C'EST DE MA FAUTE!!

PARCE QUE C'EST LA MIENNE PEUT-ÊTRE?!

Je te rappelle que c'est sur TA tête qu'il est tombé!!!

Oui! Mais c'est TOI qui lui as parlé le premier!

Mais... C'est pas mon anniversaire?!

IL NOUS RATTRAPE!
IL NOUS RATTRAPE!

BRAILLE!
REVENEZ TOUT DE SUITE!!!

ALLEZ! SORTEZ DE LÀ!!!

Vous devez faire erreur.
Je ne suis qu'un petit buisson
qui se repose et qui...

Ah! Tiens! Qu'est-ce
que tu fais là?

Elle l'a donné à vous?   Oui.

Bon... Pour le bien de ce bébé,
je ferais mieux de vous accompagner...

22

Dédé, est-ce que cet individu
est un incommensurable abruti ?

SPRRRT...

Tu vois qu'il comprend rien !!!

Non mais là, il a
manifestement pas bien
compris la question !

Moi je vois pas le problème,
je pense qu'il a très bien compris
la question.

Dédé, c'est pas plutôt lui
l'incommensurable abruti ?!

SPRRRT.

25

Là, il a compris!

Il a rien compris du tout!

Dédé, est-ce que tu confirmes que c'est lui le plus crétin de nous deux?

SPRRRT

Dédé, tu trouves pas qu'il a une tête d'anchois desséché?

SPRRRT

Tu trouves pas que son bec
ressemble à une carotte moisie?

SPRRRT

Tu trouves pas que ses oreilles
ressemblent à des vieilles chaussettes?

SPRRRT

Hey, attends-nous!

On va par là, finalement?

Oui.

Mais, t'es sûr
que c'est par là?

J'en sais rien!
Mais il faut bien aller
quelque part!

Fais voir la carte,
il y a peut-être une indication
qu'on n'aurait pas vue...

Hé, les gars ! On est sauvés !

T'as retrouvé
l'adresse ?!

Nan, mieux que ça...

J'ai croisé un type et je lui ai demandé
s'il savait où était Avignon...

Il est allé chercher tous ses potes
parce qu'eux sauront sûrement...

Cool !!! Et ils arrivent
bientôt ?

Sûrement! Il m'a dit qu'ils seraient
impatients de nous rendre service...

TCHAK!

PFFFF... Sauvés...

Ici, les jolis zozios...

Ici, la jolie tête de cochon en sang empalée sur le mignon ressort...

Bon...

MINCE !! J'AI OUBLIÉ LE BIBERON
DANS LE CAMION !!!

Bah... T'en fais pas...
On en trouvera un autre sur le chemin.

Tu m'as fais peur... Pendant un moment,
j'ai cru qu'on avait oublié le bébé...

JE VOUS DIS QUE NON!!!
ON TROUVERA PAS UN AUTRE BÉBÉ
SUR LE CHEMIN!!

LÀ-BAS! LE CAMION!!

Il entre dans ce village.

Dépêchez-vous, si vous voulez
pas retrouver le bébé en gigot!!

Mais, elle est passée où
cette camionette?

Aucune idée.

Elle a dû aller
à sa boucherie!

Attends, je vais aller
me renseigner.

Te renseigner?!
Mais à qui?

Bah... Je sais pas...
Quelqu'un...

En attendant, on a qu'à
chercher par là...

Mais t'es sûr qu'il sait
ce qu'il fait?

Hep Madame!
Oui, vous, là-bas! ⌐

Bah oui! Il est pas bête.
Il sait à qui s'adresser.

Des fois, on dirait
que tu nous fais pas confiance...

Hep! Je vous parle! Hep! ⌐

Je ne sais pas, monsieur l'agent...
Ce canard me suit depuis tout à l'heure
en caquetant! C'est comme s'il essayait
de me dire quelque chose!

COIN!
COIN!
COIN!

 Dis... Il en met du temps l'autre pour un renseignement...

 LÀÀÀ!!!

LA BOUCHERIE!!

C'est bien une boucherie, mais comment être sûrs que le bébé est dedans...

J'ai un plan...

C'est bien... Garde l'air naturel...

Hé, Marcel ! Regarde
ce que j'ai trouvé dans la r...

Ah! Vous aussi vous l'avez trouvée la boucherie?

Tu verras... C'est bien d'être assigné dans cette région. C'est plutôt calme...

Bon... Je te cache pas que quelquefois on a droit à des rigolos... Mais bon...

ÇA Y EST !!
ON LES A SEMÉS !!!

Dites, le bébé arrête
pas de pleurer !
Je crois qu'il a faim !

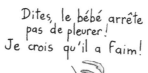

Bah oui...
Mais on a
perdu le bib...

LÀ-BAS !!
DES VACHES !!

Y'en a bien une qui nous
donnera un peu de lait !

Règle n°2: ne pas confondre
le taureau et la vache...

Bon bah... Il faudrait trouver un moyen
de la changer maintenant...

Il y a une ferme pas loin
où ils font sécher des langes.

Bien! Il faut qu'il y en ait un
qui s'occupe d'aller chercher des langes,
pendant que les autres nettoient le bé...

Pfooouuu! On l'a échappé belle!

Oui, enfin maintenant il faut trouver un lange...

Voilà la ferme!

Là-bas! Je vois les langes!

Vas-y! Je vais faire le guet.

Ok!

ninja   ninja   ninja

Ah oui... Quand tu disais coincé, ça voulait dire coincé...

Il est encore vivant, au moins?

Je crois qu'il refuse de l'avaler. Il préfère le mâchonner...

Comment le faire sortir de là?

Il faudrait qu'il ouvre la bouche pour recracher...

Mais pour ça, faudrait l'asphyxier...

Dépêche-toi avant qu'il se réveille!

Dis pas merci, surtout...

UUUUUUUUUUUh!

Et la prochaine fois, vous ferez gaffe!

Moi je lui avais dit de faire attention...

Bon, il faut lui refaire sa couche maintenant...

Ah ça, je sais faire...

Aussi bien que tu sais demander ton chemin aux gens dans la rue?

Ta! Ta! Ta! Tu vas voir!

Je suis un pro en acupuncture.

Heu... en origami tu veux dire...

Oui c'est pareil...

KROK

Alors, on prend chacun un côté...

Oui

On se rejoint...

Là, tu plies, gauche, droite, tu fais une maille à l'endroit, tu tournes à droite, tu prends la première à gauche, tu fais un nœud ascendant en suivant la courbe de bouvier, tu tires le tout et...

MAIS ENFIN! ON VA PAS ROULER
LE BÉBÉ PAR TERRE!!!

Bah, pourquoi pas?

PARCE QUE C'EST DÉGUEULASSE!
ET PUIS C'EST DANGEREUX!

AH ÇA! DÈS QUE C'EST PAS TOI QUI
PRENDS UNE DÉCISION, C'EST FORCÉMENT
DANGEREUX ET SALE!!!

BÉBÉ! BÉBÉ!
ÇA VA?!

Elle a perdu en
expressivité, non?

Oui, elle a l'air pâlotte...

C'EST PAS PIGGY!
C'EST UN BALLON DE FOOT!!
OÙ EST LE BÉBÉ?!

Je crois qu'elle n'est pas très loin...

Seulement, je pense
que ça va bientôt changer...

IL FAUT FAIRE QUELQUE CHOSE !!!
ILS CONFONDENT PIGGY AVEC LEUR BALLON !!!

BOP

RHAAAAAAAAA !!

BOP

C'était quoi ton plan, exactement?

PITIÉ! PITIÉ!

BOP

Bah, je leur ai envoyé le cochon en pensant que ça ferait diversion...

BOP

PAF

Et ça a marché, regarde!
Ils ont confondu le ballon avec le cochon
et ils ont laissé Piggy tranquille!

BOP

SCHPLAF

Ça aurait pas été plus simple de leur envoyer directement le ballon?

NAN!! PAS LE PENALTY!!

Première phase:
substitution
du goal...

BOMF!!

Deuxième phase:
remplacement du goal...

Et y'a plus qu'à attendre
qu'ils nous envoient le cochon.

Encore faut-il que tu arrives à l'attraper...

Ça veut dire quoi, ça?

Rien, rien... Ça m'étonnerait juste que tu l'attrapes...

Et pourquoi je serais pas capable d'arrêter le cochon?!

Parce que t'as autant de réflexes qu'une moule anémique...

Mais c'est fou comme tu peux nier l'évidence!!!

Grâce à mon intuition, je savais qu'il arriverait juste là!!

Alors ça, c'est ballot...

Raaaaaaaaa....

Enfin! Je t'avais dit de rentrer la tête quand on passait dans le trou!

Ça a pas l'air d'être la grande forme...

Lâche-le pour voir s'il tient debout?

Oh, ça va?

Je veux pas...

Bah, goûte avant de dire
que t'en veux pas...

J'ABANDONNE! Je veux pas
m'occuper de ce bébé!!

C'est à VOUS que la cigogne
a donné le bébé! Pas à MOI!
Moi, je voulais juste vous aider!!!

Je voulais pas risquer ma vie toutes les deux minutes à cause de deux décérébrés qui rameutent les renards, m'enferment dans des boucheries ou me balancent au milieu d'un match de FOOT !!!

J'en ai marre de VOUS! J'en ai marre de ce BÉBÉ !!! Alors, maintenant, vous vous débrouillerez SANS MOI !!!

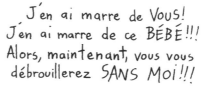

CIAO !!!

Ga!

Grmblmblmmgn...

Je pense avoir quelque chose qui vous appartient...

Pardon?

Je dis que je pense que ceci vous appartient...

Ah, c'est facile
de faire culpabiliser
les autres quand
on est tranquillement
assis sur sa branche!!!

Allez-y, vous! Moi je tiens
pas à laisser ma peau
à cause de deux abrutis
décérébrés!!

Certes... J'admets qu'ils n'ont
pas l'air très dégourdis du bulbe...

Ah non... Pas très!

Mais malgré tous les obstacles
que vous avez rencontrés, eux
n'ont jamais abandonné...

Et vous, vous abandonnez
dès le premier pépin venu...

C'est bon, j'ai compris,
j'y retourne...

Dans ce cas-là, je vous conseille
d'y retourner assez vite...

Pourquoi ça?

Parce que, la dernière fois
que je les ai vus, ils venaient de
trouver une idée pour expédier le bébé
directement à Avignon...

C'est-à-dire?

Ils parlaient d'une
catapulte géante...

Mais quelle bande de crétins, ah... ...

Bah... T'es revenu?
On croyait que t'étais parti!

Suis hhh... revenu hhhh...
pour vous aider hhhh... ramener hhh...
bébé hhhh... à ses parents...

C'est un peu vexant que tu doutes
de l'efficacité de notre méthode mais
je comprends que tu t'inquiètes
pour le bébé...

HHH... NON!!
Hhhh... C'est pas hhh...ce que...
Hhhh... je voulais hh... dire!!

Nan mais je sais que c'est pas
ce que tu voulais dire, tu voulais
pas me vexer!! Tu veux juste t'assurer
que le bébé se fera pas mal!

Ga?

NON HHH!!!
NON HHH!!!

Tu diras ce que tu veux,
mais Avignon c'est pas par là...

Et du coup, on fait quoi?

Il y a un hibou dans la forêt là-bas, c'est lui qui a retrouvé l'adresse... Avec de la chance, peut-être qu'il saura où est Avignon...

Un hibou?

Ça sort pas que la nuit les hiboux?

Bah oui... Mais il fait déjà presque nuit...

Il était où ton hibou?

Ben...

Hou Hou

108

118

120

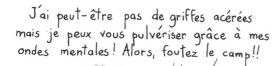

J'ai peut-être pas de griffes acérées mais je peux vous pulvériser grâce à mes ondes mentales! Alors, foutez le camp!!

C'est vous que les gardiens du zoo recherchent?

Comment? Vous n'êtes pas les gardiens du zoo?!

Ah non!

Les gardiens du zoo ils sont là-bas...

Enfin, ce qu'il en reste...

Mais, qu'est-ce que vous faites là, dans cette forêt en pleine nuit?!

On cherche une chouette pour aller à Avignon...

Parce qu'on doit y amener un bébé à ses parents...

Ga!

Ils sont partis, chéri?

Tout va bien, mon amour !
Ce sont de charmantes personnes
qui emmènent un bébé à Avignon.

Je vous présente ma femme !
Nous sommes des tarsiers des Philippines.

Des Philippines ?

Le zoo nous a capturés, moi, ma femme
et nos enfants, pour nous amener ici.
Mais on s'est échappés et on essaye
de rentrer chez nous...

Vos enfants ? Vous êtes
avec vos enfants ?!

Bah oui ! Enfin, je crois...
Où sont les enfants, chérie ?

Je ne sais pas...
Ils m'ont dit qu'ils
allaient t'aider.

Raâââââââne...

Installez-vous ici!
Nous, on va faire le guet...

Nous sommes nocturnes.
On ne dort pas la nuit.

Bon... Bah, j'éteins alors...

CLiC

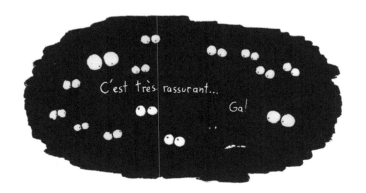

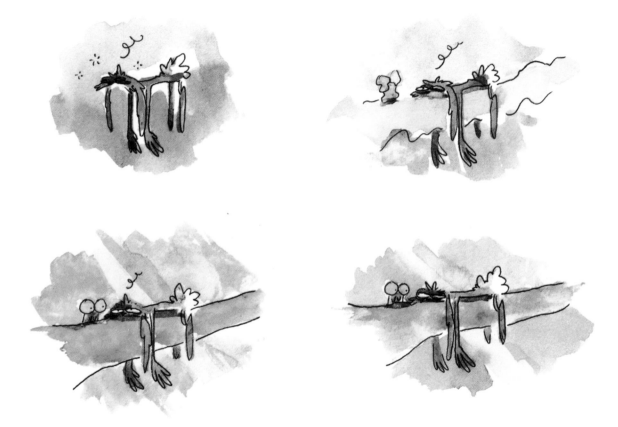

T'en fais pas... Tu pourras pas tomber plus bas...

Allez me chercher de l'eau s'il vous plaît...

Il reprend ses esprits...

Hop Hop
Hop

Ga!

Les gars! Je crois que je délire... Je vois des yeux partout!

Non, ça c'est normal... Nous aussi, on les voit...

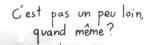
C'est pas un peu loin,
quand même?

On verra bien...

Slurp

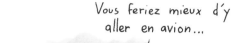
Vous feriez mieux d'y
aller en avion...

Comment veux-tu qu'ils
pilotent un avion?

Pas besoin de le piloter.
Ils n'ont qu'à s'envoyer par courrier...

Ils se mettent dans un carton,
Ils y mettent des timbres avec l'adresse
et zou! Ils ont plus qu'à atten...

MAIS TU ES
UN GÉNIE!!!

C'est trop bête que tu n'y
penses que maintenant!
On aurait pu gagner
tellement de temps!

Mais, j'ai eu l'idée
il y a longtemps...

Pardon?

Et tu as eu l'idée
il y a combien de temps?

Quand tu nous as abandonnés,
j'ai proposé d'envoyer le bébé
par la poste...

Mais, il m'a dit que ça pourrait
être dangereux pour Piggy...

La sécurité d'abord...

Donc, par sécurité, vous avez
choisi la catapulte géante...

Ben oui...

"Génie" était un terme
quelque peu excessif...

Allons, dépêchons-nous !

Mais où va-t-on ?

On va vous envoyer par la poste aux Philippines et Piggy sera envoyée chez ses parents à Avignon.

Vous arriverez chez vous beaucoup plus vite ! Qu'est-ce que vous en dites ?

Ça m'a l'air parfait ! Allons-y !

POUF

Les temps changent...

On vous dit au revoir également.

Allez hop! On va à la poste!

Au revoir!
Et merci encore!

Au fait... Vous pensez pas que les humains de la poste vont trouver ça bizarre qu'un cochon, un canard et un lapin veuillent envoyer deux colis?

Monsieur et Madame Duchamel
17, rue Archibald Fripoux,
à Avignon.

Et l'autre adresse ?

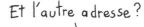

Monsieur et Madame Tarsier
1, rue des Philippines,
Bourg-les-Philippines,
Philippines...

152

CLOP

Il faut encore
49,90 euros,
Monsieur...

Non, Monsieur, ça ne fait toujours pas assez.

Disons qu'il y a le compte!

Bien... Quel colis va à Avignon? Quel colis va aux Philippines?

Alors? Lequel va à Avignon?

Monsieur... Les gens attendent...

Celui-là ?

Bien... Je mets l'adresse dessus...

Et là je mets l'adresse aux Philippines...

HA!HA! ON A RÉUSSI!

Ton plan était super!

Tu m'as épaté! J'étais sceptique au début mais tu as été grandiose!!

Ah... Ah... Oui.

On peut rentrer l'esprit tranquille à la maison, maintenant...

J'imagine déjà le visage ébahi des parents de Piggy quand ils la recevront.

Elle grandira dans une famille
qui l'aimera, dans une belle maison,
à l'abri du danger!

Et tout ça grâce à nous!

Enfin, surtout grâce à lui!

Oui, c'est vrai!

burp...

Eh! Ça va pas?

Je... je fais une petite pause...

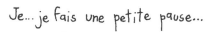

Ah ! Tu t'inquiètes parce qu'on ne peut pas savoir si elle va bien !

T'en fais pas, je suis sûr à 100 % qu'elle arrivera bien chez elle !

Oh tu sais, on n'est jamais sûr à 100 %...

50% tout au plus...

Ah Ah!

Qu'est-ce que tu as fait ?

Oh rien... rien...

Il fait chaud non ?

Ton teint pâle, tes oreilles en berne, tu as fait quelque chose...

Mes oreilles?

Mais pas du tout!

QU'EST-CE QUE TU AS FAIT?!!

Disons qu'il y a une mini micro chance que j'aie malencontreusement inversé les adresses sur les paquets...

Tu veux dire qu'il y a une chance sur deux pour que Piggy soit en route pour les Philippines?

Oh, dis! Il y a aussi une chance sur deux pour qu'elle aille à Avignon!

Vu la chance qu'on a eue jusque-là, je doute fortement qu'elle soit en route pour Avignon...

Bon... Ben qu'est-ce qu'on fait ?

CE QU'ON FAIT ?! ON VA VÉRIFIER LES PAQUETS AVANT QU'IL NE SOIT TROP TARD, TRIPLE ANDOUILLE !!!

Ils ont déjà commencé à charger !

Vous voyez le paquet de Piggy ou des tarsiers?

Là! J'ai l'impression qu'il en charge un des deux dans le camion de droite ! Et je crois que l'autre est déjà dans le camion de gauche!

169

Je voulais juste aider Piggy, je voulais pas l'envoyer aux Philippines !!

À cause de moi, elle verra jamais ses parents !! Elle moisira dans la jungle et sera dévorée par des bêtes !!!

Calme-toi... Ça va aller...

Pour le moment, on va juste à l'aéroport. Dès qu'on en aura l'occasion on sortira de ce camion et on retournera au bureau de poste, d'accord ?

Ou alors...

On va tous dans
le paquet, ils nous
déposent dans
un avion...

Non, non, non !
Arrête de penser,
s'il te plaît !

Une fois dans l'avion, on prend
les commandes et on détourne l'avion
jusqu'à Avignon !

Une fois dehors,
on en profitera pour filer
et on avisera après...

Allez, tout le monde
dans le paquet.

On est un peu serrés...
Chhht... Je crois que
le camion ralentit.

Il s'est arrêté...
On doit être arrivés
à l'aéroport.

Quelqu'un a pris le paquet!
Parfait... On attend qu'il
nous dépose et on y va.

Et on oublie pas de prendre Piggy avec nous.

Ça y est! On est au sol.

POF

À trois!
Un... Deux...

Attends! On part à gauche ou à droite?!

Euh... On va dire à gauche...

Ta gauche ou ma gauche?

C'est la même, non?
Je crois que la mienne est plus sur la droite...

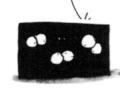

Bon! Je pars devant à trois et vous me suivez, ok?

ok!   ok!

Un... Deux...

Je crois qu'on part pour les Philippines...

BROOOOOOOo.

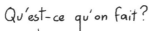

Chef! Le commandant du vol à destination des Philippines nous appelle en urgence...

Il nous demande la procédure en cas de détournement d'avion par un cochon, un canard et un lapin...

Commandant, quelles sont leurs revendications?

Je ne suis pas sûr, je crois qu'ils veulent aller à Avignon ...

Du moins, ils en donnent l'impression ...

Ils ont l'air dangereux ?

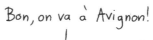

Blabla...

Mâche Mâche...

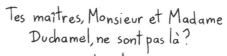

DING ♪
DONG ♫

Ah!

Tes maîtres, Monsieur et Madame Duchamel, ne sont pas là?

Maw

186

Ce sont nos enfants!

Que... Vous étiez tous dans le paquet?!

Oui, on pensait arriver aux Philippines!

Les Philippines? Mais non, ici on est chez Monsieur et Madame Duchamel, à Avignon!

Avignon?

Mais, c'est une catastrophe! Notre paquet et celui du bébé ont été inversés!

Le bébé ?
Quel bébé ?

Le bébé que devaient apporter le cochon, le canard et le lapin à vos maîtres.

À mes maîtres ?
Mes maîtres vont avoir un bébé ?

Malheureusement, non...

Le cochon, le canard et le lapin ont envoyé deux paquets, l'un pour Avignon avec le bébé et un autre avec nous pour les Philippines...

Les paquets ont été inversés...

Si nous sommes là, c'est que le bébé est dans le paquet pour les Philippines.

En gros, mes maîtres vont avoir un bébé, mais il est en route pour les Philippines ?!

Oui, c'est à peu près ça...

Mais, il faut empêcher ça! Il faut le retrouver!!

Mais, c'est impossible!

FLASH SPÉCIAL!! On vient d'apprendre qu'un avion à destination des Philippines a été détourné...

Il semblerait que des terroristes déguisés en cochon, en canard et en lapin aient pris le contrôle de l'appareil...

Ils se dirigent en ce moment même vers Avignon...

HA! HA! Eh bien tout s'arrange!

C'est incroyable...

La police est déjà prête à les accueillir et à leur en mettre plein la gueule...

Je crois que ça redevient problématique...

Pour le moment, on ne peut pas faire grand-chose pour les tarsiers...

Amenons Piggy chez ses parents, on les aidera une fois là-bas.

Reposons-nous en attendant d'arriver!!

Ouaip! Je serais pas contre une petite sieste...

Je crois qu'on a jamais été aussi près du but...

CLOP

CLOP
CLOP CLOP
CLOP CLOP
CLOP CLOP

CLOP CLOP
CLOP CLOP
CLOP CLOP
CLOP CLOP

199

Mu?

MAIS, QU'EST-CE QUE?!!

T'en fais pas!
On arrive!!

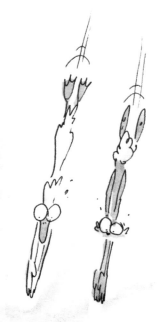

MAIS!! QU'EST-CE QUE
VOUS FOUTEZ LÀ?!

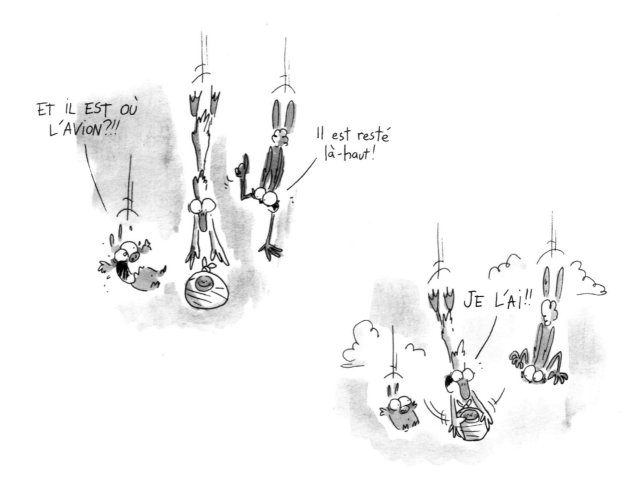

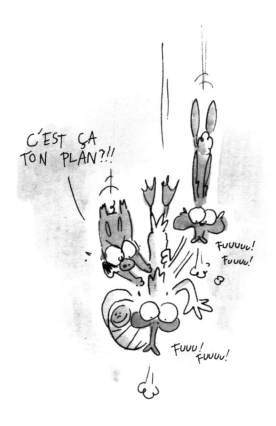

Merci Piggy!

On rejoint notre envoyé spécial à Avignon...

Ils vont reparler d'eux !

Oui ! Ici, c'est l'excitation générale !

Les terroristes déguisés en cochon, en canard et en lapin viennent de se parachuter au-dessus d'Avignon !

Et à la stupeur générale, on vient de s'apercevoir qu'ils ont pris un bébé en otage !

212

Pour le moment,
ils descendent doucement
au-dessus du Palais des Papes...

Mais la police s'apprête
à les intercepter dès
qu'ils seront au sol...

LE PALAIS
DES PAPES!

Je sais où c'est !
Il faut aller les chercher!

Venez, il est encore
temps de les sauver !!!

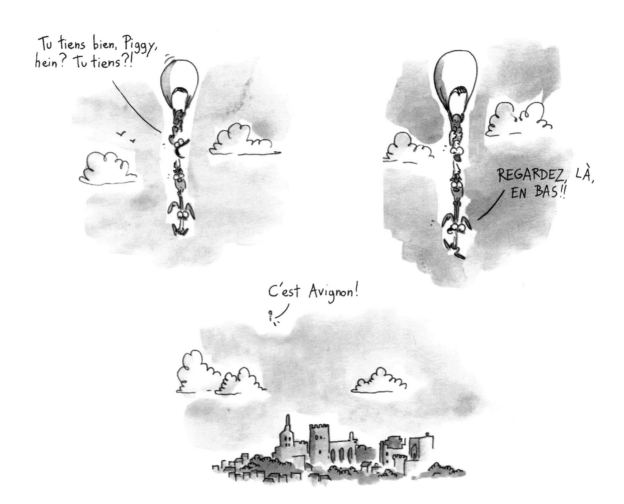

ON A RÉUSSI!!

On est quand même à une centaine de mètres du sol de la réussite...

Je sais pas si Piggy tiendra jusque-là !

Pour plus de sécurité, je propose que celui qui est le plus bas saute...

Hein?!

Une fois au sol, il s'occupe de réceptionner les autres. Ok?!

PAS OK! PAS OK DU TOUT!

:PLAF

JE LA TIENS!!!
JE LA TIENS!!!

C'est parfait! On va
pouvoir descendre!

LÂCHE, PIGGY!!!
IL FAUT LÂCHER, MAINTENANT!
D'ACCORD?!

Bon... Et maintenant?

225

Dites... Ils sont sacrément réalistes leurs costumes...

Ouaip... Heureusement qu'on a l'œil.

RELÂCHEZ LE BÉBÉ IMMÉDIATEMENT!!!

Nous avons déposé un panier !
Placez-y l'enfant
tout de suite!

229

Comment vous voulez
qu'on puisse s'enfuir d'ici,
avec tous ces policiers...

Il faut se rendre
à l'évidence,
on est bien trop idiots
pour prendre soin d'elle...

Parlez
pour vous!

Depuis qu'elle est avec nous, elle a failli
finir en gigot, être piétinée par
des footballeurs, catapultée, se faire tirer dessus,
envoyée aux Philippines, jetée d'un avion...
Avec eux, elle sera en sécurité...

Mais c'est trop bête!
On est si près du but!

Si on leur donne Piggy,
elle sera orpheline...

Je sais bien...

Mais au moins, elle ne
sera plus en danger...

Je vois qu'on devient raisonnable...

C'est que je sais les faire plier, moi, les terroristes...

Allons, petit bébé, je te délivre de ces dangereux maniaques!

Ils ne t'ont jamais aimé, ceux-là!

Ga!

Ils ne feraient aucun effort pour prendre soin de toi.

Ils t'avaient pris en otage mais ils t'abandonnent au premier pépin, ces gros lâches...

On était si près du but. J'arrive pas à y cr...

Tu disais qu'on était trop bêtes pour prendre soin d'elle !

On est peut-être trop bêtes pour prendre soin d'elle...

Mais on est bien trop têtus pour la laisser tomber !

Et où on va ?

Chez les
parents de Piggy.

C'EST PARTI !!!

VROAAAM

VROAM

Ils nous rattrapent!!

Va plus vite!!

Je suis à fond!!!

Attendez!! J'ai un plan!
Suivez-moi!

Aidez-moi à dérouler
le tuyau!!

On va les arroser,
ça va les ralentir!!

Ah!Ah! Bonne idée!

Quand je dis "GO", tu mets
la pression à fond!

À fond? Ça risque de...

248

255

BOMF

C'EST BON! ON LES A!!!

FAITES
DEMI-TOUR!!!

Vous faites attention
aux passants, les enfants!

Oui, maman!

Ils sont toujours
à nos basques!

Il faut les semer avant d'arriver chez les parents de Piggy!

Tenez! On va passer par ce pont, là-bas!!

D'accord!

Que... Le Pont?!

NON, PAS LE PONT!!!

On a plus le choix...

Il ne reste qu'une seule chose à faire...

Vrooooooooooo.....

Je crois bien
qu'ils sont partis...

Quelqu'un a une idée
pour qu'on rejoigne
la maison discrètement ?

Moi, j'aurais une idée...

C'est émouvant

Eh bien! J'ai cru qu'on y arriverait jamais!

Vous n'avez qu'à la déposer sur le pas de la porte... Je vais aller les chercher...

On vous attend ici!

Merci encore
pour tout!

Bon, eh bien, cette fois,
c'est la bonne...

On te dit au
revoir Pig...

Et si on la gardait?

Pourquoi on leur
donnerait?
Après tout le mal
qu'on s'est donné!

Pardon?!

Bon...

Tu crois qu'ils
s'en occuperont bien?

Ils m'ont pas
l'air très nets
ces deux zozos...

Je crois qu'on peut
leur faire confiance, oui...

Allez, on rentre
à la maison.

Finalement, nos trois compères
et leurs amis les tarsiers
prirent le chemin du retour...

En route, ils aidèrent
les tarsiers à rentrer
chez eux...

Le lapin et le canard élaborèrent
quelques engins dans le but
de se renvoyer au plus vite
à la maison.

Mais finalement, ils rentrèrent
tous tranquillement à pieds...

Ah! Quel plaisir de retrouver son chez-soi!

Quand on va raconter notre aventure aux copains, ils ne voudront pas y croire!

Qu'est-ce que tu cherches?

Il me semble que j'avais fait tomber une pomme dans le coin...

MAIS... C'EST VOUS?!!

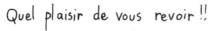

Figurez vous qu'elle n'était pas cassée, mais juste endolorie par ma chute!!

Alors j'ai voulu vous retrouver pour récupérer le bébé et m'en occuper!

Et puis je me suis dit que j'allais vous le laisser! Vous aviez tellement insisté pour vous en occuper!!

Avouez que c'était cocasse comme situation!

Hu! Hu!

Calmez-vous...
Je m'en occupe...

Vos amis ont l'air
de m'en vouloir, non?

Disons que le voyage
a été un peu chaotique...

Quelle bande d'ingrats! Je leur
fais partager un des plus beaux métiers
du monde et voilà comment ils
me remercient...

Vous avez bien raison!
Ce sont des ingrats! Mais moi,
je tenais à vous remercier!

Ah oui?!

Figurez-vous que pendant notre
voyage, mes deux amis ont mis au
point un moyen de locomotion qui
pourrait révolutionner votre métier!

Un arbre, un gros caillou et une corde
et zou! Ça vous propulse directement là où
vous souhaitez aller!

Ah tiens?

Quel est-il?

Imaginez le gain
de temps!

Et ça marche bien?

Très bien oui! Pour vous remercier, je tiens à vous le faire essayer.

C'est pas dangereux au moins?

Pensez donc... Je l'ai
testé moi-même...

Ce livre a été nominé aux Incontournables du Festival international d'Angoulême en 2012

Dans la même collection :
www.editions-delcourt.fr/bd/nos-collections-bd/shampooing

Du même auteur, chez le même éditeur :
• *Le Grand Méchant Renard*

s h a m p o o i n g

Directeur de collection : Lewis Trondheim

© 2018 Éditions Delcourt

Tous droits réservés pour tous pays
Dépôt légal : octobre 2018. ISBN : 978-2-413-01591-8
Première édition

Typographie PHYLACTÈRE - © Florent Courtaigne
Conception graphique : Trait pour Trait & Benjamin Renner

Achevé d'imprimer en octobre 2018
sur les presses de l'imprimerie L.E.G.O., à Lavis, Italie

www.editions-delcourt.fr